A mi madre y a mi abuela,
por enseñarme a charlar en la cocina.

Y a Paqui que amanece conmigo cada día.

N. G.

Nono Granero

EL DÍA QUE BALDOMERO ROBÓ EL SOL

Ediciones Ekaré

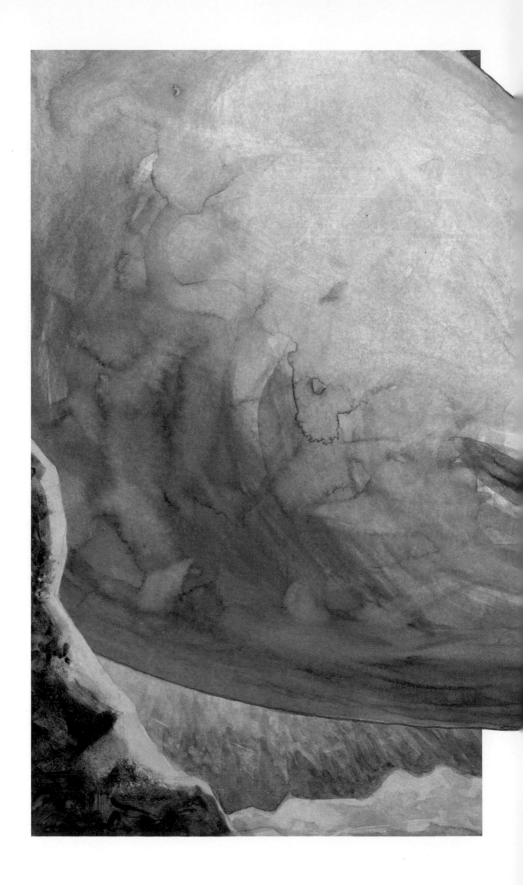

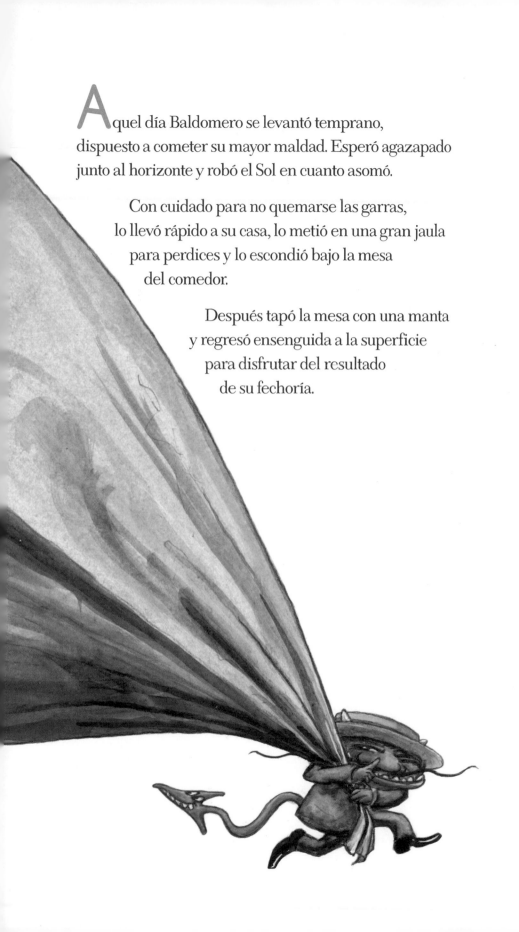

Aquel día Baldomero se levantó temprano,
dispuesto a cometer su mayor maldad. Esperó agazapado
junto al horizonte y robó el Sol en cuanto asomó.

Con cuidado para no quemarse las garras,
lo llevó rápido a su casa, lo metió en una gran jaula
para perdices y lo escondió bajo la mesa
del comedor.

Después tapó la mesa con una manta
y regresó ensenguida a la superficie
para disfrutar del resultado
de su fechoría.

Desde su atalaya sonrió al ver cómo las plantas,
privadas de luz, se debilitaban y morían.

Rio observando cómo los animales, confusos,
hibernaban huyendo de las tinieblas.

Y se carcajeó contemplando cómo las personas
se volvían hoscas y hurañas, enfadadas por la oscuridad
y divididas por la carencia de alimentos.

Pero cuando iba a desternillarse del todo, vio a María.
Y dejó de reír.

Porque María era la única persona que no estaba
enfadada ni contrariada. Acostumbrada desde pequeña
a la escasez, continuaba con las tareas habituales.

Y en la humilde casa de la calle Gris, en el barrio Viejo
del pueblo Olvidado, María canturreaba feliz mientras
buscaba algo con lo que preparar la comida para ella,
sus trece hermanos y su perro Quince.

Baldomero, disgustado, decidió solucionar eso.

Vio cómo María abría la nevera. Y cómo encontraba solo un huevo entre las bandejas oxidadas.

Uno.

Pequeño.

Para todos.

Baldomero sonrió con malicia.

María agarró un plato hondo, cascó el huevo, se armó de un tenedor y comenzó a batir con todas sus fuerzas.

¡CLAS, CLAS, CLAS, CLAS...!

Baldomero, con la sonrisa torcida y sin perder detalle, se acomodó en el tejado de enfrente, dispuesto a recuperar su buen humor.

Ese huevo era tan pequeño...

Estaba seguro de que nacería una buena pelea entre los hermanos cuando llegara la hora de comer. Contemplarla sería la guinda de un día perfecto.

María batía tan fuerte que el sonido del tenedor chocando contra el plato llegó a los oídos de sus vecinas.

Intrigadas, salieron de sus casas. Y como el ruido venía de la casa de María, se fueron a tocar su puerta.

–¡Maríaaaa! ¿Qué es ese estruendo que sale de tu casa? –gritó Aurelia.

–¡Que estoy batiendo un huevo! –respondió María.

–Pero ¿por qué haces tanto ruido? –insistió Aurelia.

–Es que mi abuela me dijo una vez que si bates con mucha fuerza, el huevo crece y crece. Y como solo tengo uno y somos tantos para comer...

Baldomero casi no pudo contener la risa al ver a las vecinas abrir los ojos como platos vacíos.

Aurelia volvió a hablar, muy melosa.

–María, si te ayudamos... ¿tú crees que podría crecer tanto como para que probásemos un poquito nosotras también?

María dudó ante sus miradas hambrientas y tristes.

–Bueno, podríamos intentarlo –respondió al fin, titubeando–. Pero creo que hará falta un recipiente más grande y algunos...

No la dejaron terminar la frase.

Hubo un revuelo de vecinas, y un segundo después
el repiqueteo de los tenedores había aumentado
con el movimiento frenético de aquellas manos alrededor
de un enorme lebrillo.

¡CLAS, CLAS, CLAS, CLAS...!

Y al sonido que retumbaba en la calle respondía
Baldomero bailando alegre, saboreando por adelantado
la trifulca que provocaría el pequeño huevo, sin duda
insuficiente para todos.

Tanto era el ruido, que las vecinas de la calle de Arriba, al escucharlo, decidieron investigar.

Al llegar a la casa de María coincidieron con las vecinas de la calle de Abajo, que también subían a ver qué era ese tamborileo tan extraño.

Y cuando se enteraron de que allí había un huevo para comer y de cómo hacerlo mayor, miraron a María, salivando entre suspiros. Y acabaron convenciéndola para unirse también a la batida.

Esto provocó mayor regocijo aún en aquel diablo bailón.

−¡Y vienen más...! −se decía Baldomero, tronchándose de risa−. ¡Esto va a ser un pandemónium!

¡CLAS, CLAS, CLAS, CLAS...!

Pronto el sonido retumbante traspasó los límites del barrio. Y otras vecinas del pueblo lo escucharon...

¡CLAS, CLAS, CLAS, CLAS...!

Parecía que se caía el mundo con ese sonido atronador.

¡CLAS, CLAS, CLAS, CLAS...!

¡CLAS, CLAS, CLAS, CLAS...!

Mientras, Baldomero no se cuidaba ya de ocultar sus carcajadas. Y reía y reía, a mandíbula batiente, revolcándose en todas las direcciones.

Entonces, de repente, el ruido cesó.

Baldomero, extrañado, se detuvo.

Se incorporó limpiándose las lágrimas con la manga
y se asomó por el tejado.

El huevo batido había alcanzado
un tamaño descomunal.

Pero al hacerse tan grande se había vuelto también muy esponjoso.

Muy ligero.

Tanto, que comenzó a elevarse.

Ascendía muy despacio, alejándose poco a poco, encaminándose sin prisa hacia el cielo.

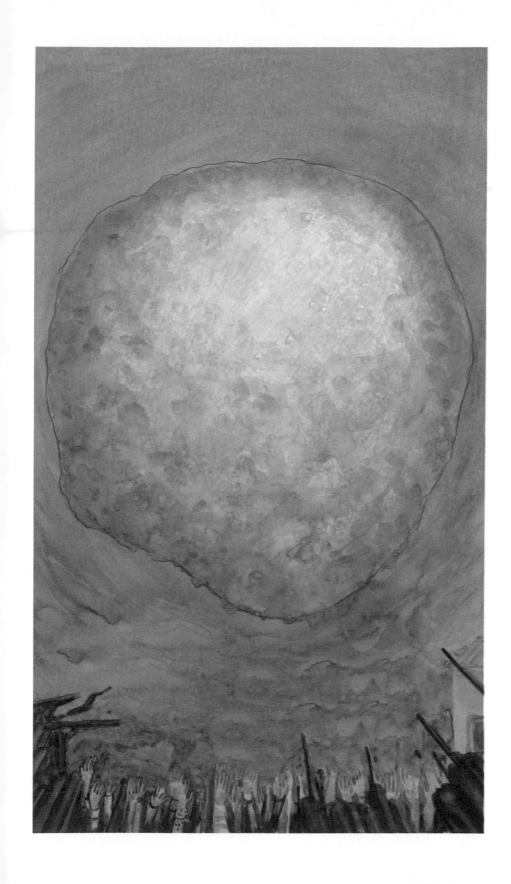

Subía dejando a María, a sus trece hermanos, a Quince y a las vecinas del barrio Viejo y del pueblo Olvidado mirando hacia arriba con ojos tristes e incrédulos.

Y aunque finalmente no hubo pelea, Baldomero disfrutó viendo cómo todos se quedaban sin comer.

Pero la alegría no le duró mucho.

Aquella enorme bola se detuvo al fin. Y comenzó a repartir el calor y la energía que tantas manos habían puesto en su creación.

Las tinieblas se disolvieron. Volvió la luz.

Brotaron nuevas plantas, nuevas hojas, nuevos frutos.

Los animales abandonaron sus escondrijos y llenaron el aire de sonidos alegres.

Y las personas volvieron a sonreír.

Solo Baldomero se sintió contrariado.

Chasqueando, cuernibajo y con el rabo entre las patas, regresó a las profundidades sin saber muy bien qué hacer.

Y cuando abrió la puerta de la casa, encontró su hogar tan confortable y calentito que decidió descansar un poco. Se sentó en su sillón, se arrebujó con la manta y pensó que, en cualquier caso, había sacado algo de provecho: esa mesa con brasero era un buen invento...

Y, amodorrándose un poquito, decidió que no pasaba nada por dejar todo tal y como estaba.

Al menos, por el momento.

Edición a cargo de Carmen Diana Dearden
Diseño y dirección de arte: Irene Savino

Primera edición, 2018

© 2018 Nono Granero, texto e ilustraciones
© 2018 Ediciones Ekaré

Av. Luis Roche, Edif. Banco del Libro, Altamira Sur. Caracas 1060, Venezuela
C/ Sant Agustí, 6, bajos. 08012 Barcelona. España

www.ekare.com

ISBN 978-84-947431-5-3
Depósito legal B.24672.2017

Impreso en China por RRD APSL